Título original: *Res no és el que és*

Libros del Zorro Rojo – Barcelona
www.librosdelzorrorojo.com

Esta obra fue publicada originalmente en lengua catalana
por Publicacions de l'Abadia de Montserrat

Traducción: Neus Aymerich
Edición: Carolina Lesa Brown

Primera edición en castellano: enero 2010

Lectura Fácil. Este logotipo identifica los
materiales elaborados que cumplen la normativa
internacional de la IFLA (*International
Federation of Library Associations and Institutions*)
dirigidos a colectivos con dificultades lectoras
y/o de comprensión.

Revisión y adaptación a LF: Carme Mayol,
Eugènia Salvador y Lluís Quintana.

ISBN: 978-84-92412-52-5

Impreso en Barcelona por Gráficas'94

Versión de Ramon Girona / Ilustraciones de Linhart

Nada es lo que parece

CUENTO DEL NORTE DE ÁFRICA

LIBROS DEL ZORRO ROJO

En un pueblo de casas blancas y calles estrechas
vivía una chica.
El pueblo había sido construido
a lo largo de los años, casa tras casa,
donde empezaba el desierto,
junto a un oasis de palmeras altas y acogedoras.

A la sombra de estas palmeras
acampaban las caravanas de mercaderes,
que, antes de entrar en el desierto,
se abastecían de agua y de comida.
También acampaban
las caravanas que hacían el viaje de vuelta.
Salían del desierto cargadas de polvo,
pero también de tejidos,
especias y piedras preciosas.

Cada día, la chica bajaba hasta el oasis
a buscar agua.

Llenaba los cántaros
y aprovechaba para escuchar las historias
que los mercaderes se contaban
mientras tomaban el té.

Eran historias fantásticas,
que venían del otro lado del desierto.
Historias de ciudades maravillosas,
de animales desconocidos,
de genios que vivían dentro de lámparas,
de príncipes y princesas.

Así, la chica volvía a su casa
con los cántaros llenos de agua
y la cabeza llena de historias.
No podía dejar de pensar
en esas ciudades, esos animales
y aquellos príncipes y princesas
que nunca había visto.

«Ah… cómo me gustaría poder verlo todo», suspiraba
mientras dejaba los cántaros en la cocina.
«Ah… cómo me gustaría
poder vivir en una de esas ciudades», decía en voz baja
mientras ayudaba a su madre en las tareas de la casa.

—¿Qué has dicho? —le preguntaba su madre.
—Nada… estaba cantando —contestaba la chica.
y continuaba preparando el tajín[1].
Cortaba las cebollas y los tomates,
ponía la olla en el fuego, y pensaba:
«Ah… cómo me gustaría
ser una de esas princesas…».

La chica empezó a soñar despierta.
Veía unas nubes grandes y le parecían un castillo.
Las más pequeñas, eran iguales a un caballo blanco
con un cuerno en medio de la frente.

---

1. Plato de la cocina magrebí.

Y, las más alejadas, se veían como una palmera,
o uno de esos animales de cuello largo
que los mercaderes llamaban «jirafa».

Y, cuando soplaba el viento,
las dunas parecían una chica tumbada
que llevaba brazaletes de cobre amarillo.
Entonces, con un nudo en la lengua,
la chica murmuraba:
«Nada es lo que parece»,
y seguía trabajando.
Y «nada es lo que parece»
eran, también, las últimas palabras
que decía antes de dormirse.

Pero a la mañana siguiente
la despertaban los mismos sonidos de cada día:
el canto del gallo, los golpes de martillo del herrero
y los balidos de las cabras y los corderos.

Cuando, medio dormida,
se acercaba a la ventana,
solía ver alguna caravana que,
lentamente, se alejaba por el desierto.
«Ah… si fuera lo bastante rica
como para poder irme con ellos,
para poder viajar todo lo que quisiera…», suspiraba.

Una noche, en la pared de la habitación de la chica
la luz de la luna proyectó
tres hojas de palmera.
Al verlas, murmuró:
«¡Tres hojas de palmera,
tres pelos del bigote de una gata!».

Como siempre, añadió:
«Nada es lo que parece».
Después se durmió.

Pero aquella vez, mientras la chica dormía,
las tres hojas de palmera se convirtieron,
ahora sí, en tres pelos del bigote de una gata negra.
La gata dio vueltas por la habitación
y olisqueó todos los rincones.
Luego, se tumbó a los pies de la cama.

A la mañana siguiente, la chica vio a la gata.
No se sorprendió mucho,
porque el pueblo estaba lleno de gatos y gatas
que se metían por todas partes.
—Tienes hambre, ¿eh? —le dijo mientras le daba de comer.

Después, su madre la llamó.
La chica bajó
y, como siempre, fue a buscar agua.
Ese día llegó otra caravana al oasis.
O quizá se fue.

A la mañana siguiente, la chica encontró
una moneda de oro debajo de la almohada.
No sabía de dónde había salido.
Mientras la miraba iba a decir: «Nada es lo que parece»,
pero se detuvo justo a tiempo,
cuando sólo había dicho «nada».

En la puerta de la habitación,
la gata se lamía las patas.
A la chica le pareció que sonreía.
No le contó a nadie que había encontrado
una moneda de oro,
pero estuvo inquieta todo el día.
Quería ir pronto a dormir
para poder despertar
y ver si había otra moneda bajo la almohada.

Al otro día, cuando despertó y levantó la almohada
no encontró una moneda de oro, sino un rubí.

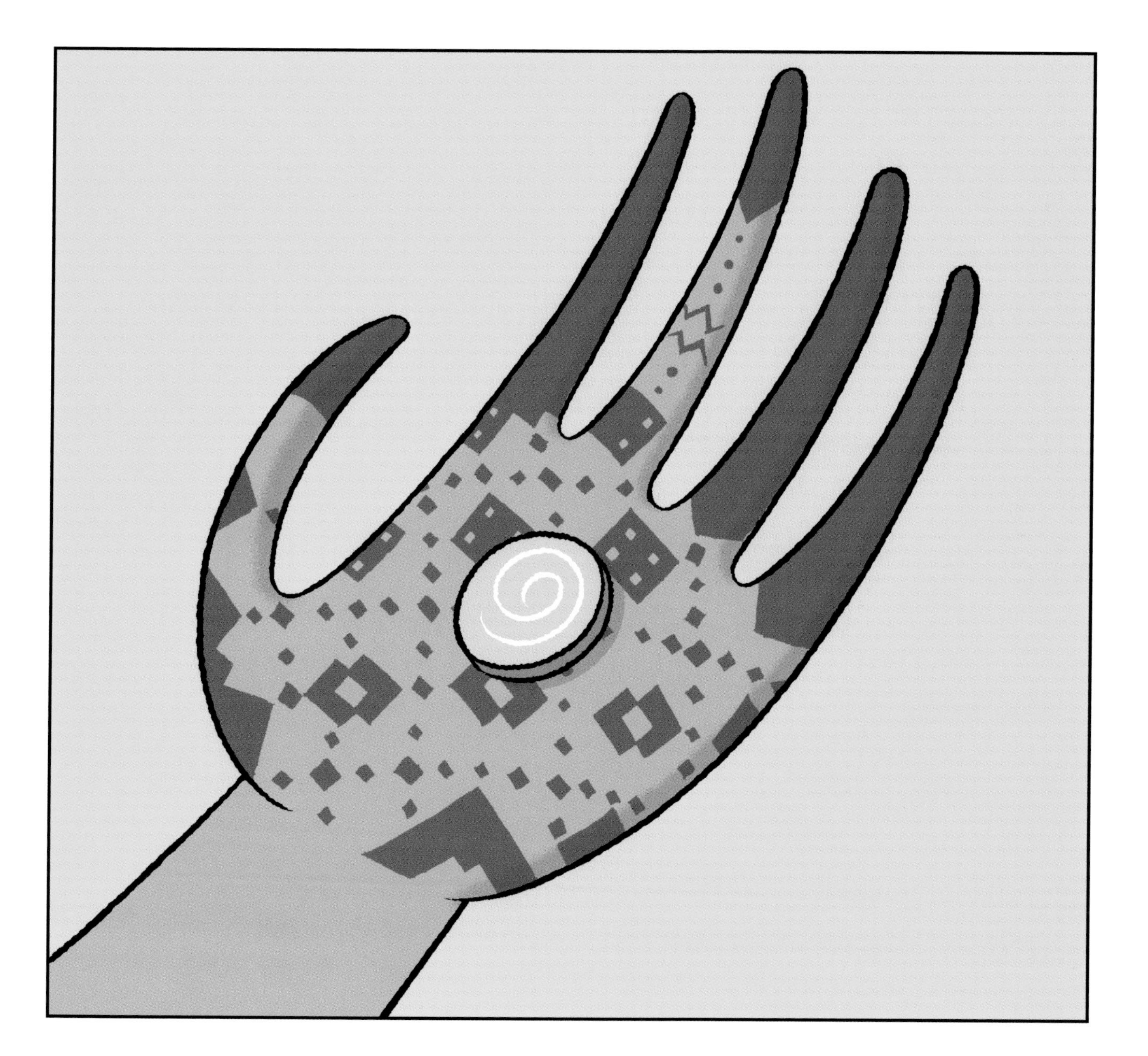

Estuvo a punto de decir:
«Nada es lo que parece»,
pero, por fortuna, se detuvo justo a tiempo.
Tan sólo había dicho la primera letra de la frase, la «n».
Cuando la chica dijo «nnnnn»,
en la puerta de la habitación, la gata se estiró,
primero con las patas de adelante
y después con las de atrás.

Al tercer día, la chica encontró una perla.
Esta vez ya no dijo:
«Nada es lo que parece».
Tampoco lo pensó.
Pensó en otras cosas:
pensó que si todo seguía así
pronto sería lo bastante rica
como para poder viajar hasta las ciudades
que visitaban los mercaderes
y vivir como una princesa.

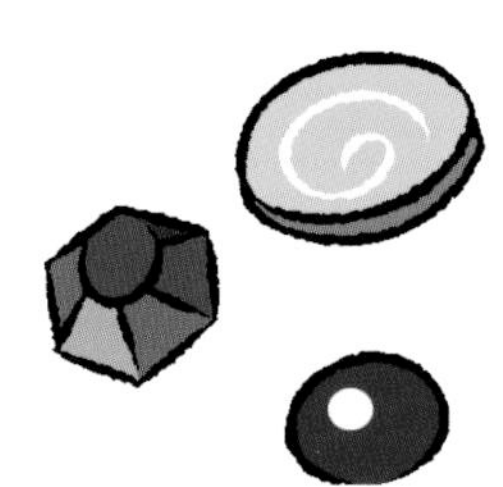

Pero también se preguntó:
«¿De dónde salen todas estas joyas?
¿Quién las pone bajo mi almohada?».
En la puerta de la habitación,
la gata bostezó.

Esa noche, la chica cerró los ojos pero no durmió.
Al cabo de un rato, la gata se levantó
y, dando un salto, salió por la ventana.
La chica la siguió.
A medio camino del oasis
la gata se paró detrás de un matorral
y, unos segundos más tarde, se transformó.

La gata ya no era la gata.
Era una bailarina que llevaba un vestido de gasa
y flores en el pelo,
una diadema en la frente
y dos collares alrededor del cuello.

La gata, convertida en bailarina,
llegó donde acampaban los mercaderes.

Al verla, algunos de ellos
hicieron sonar
sus instrumentos musicales.
Y la bailarina danzó
y danzó casi toda la noche.

Cuando los primeros rayos de sol
rozaron las hojas más altas de las palmeras,
uno de los mercaderes se levantó,
avanzó hacia donde estaba la bailarina
y dejó una esmeralda a sus pies.

La chica ya había visto suficiente.
Lo más rápido que pudo, volvió a su casa
se metió en la cama y fingió que dormía.

Al poco tiempo llegó la gata
y se acercó a la cama.
Cuando estaba por colocar la esmeralda
debajo de la almohada,
la chica se levantó y dijo:
«¡Nada es lo que parece, tú no eres una gata
sino una bailarina!».

¡Ah, qué es lo que había dicho!
Si nada es lo que parece,
la gata no era una bailarina,
sino, recordad, ¡tres hojas de palmera!
Y así fue como en un abrir y cerrar de ojos[2]
la gata desapareció.

En la pared de la habitación,
el sol de la mañana proyectó la sombra
de tres hojas de palmera.

---

2. De inmediato.

Entonces, la moneda de oro se convirtió
en un vaso lleno de aceite
y el rubí en tres tomates maduros.
La perla se transformó en dos cebollas
y la esmeralda en un poco de perejil.

Sin joyas,
la chica no pudo viajar a las ciudades
que visitaban los mercaderes.
Y tuvo que seguir viendo, cada mañana,
desde la ventana de su habitación,
cómo las caravanas se alejaban por el desierto.

Pero con el aceite, los tomates, las cebollas, el perejil,
una buena paletilla de cordero y unas cuantas especias,
la chica cocinó un tajín
para chuparse los dedos[3].

---

3. Muy rico, exquisito.

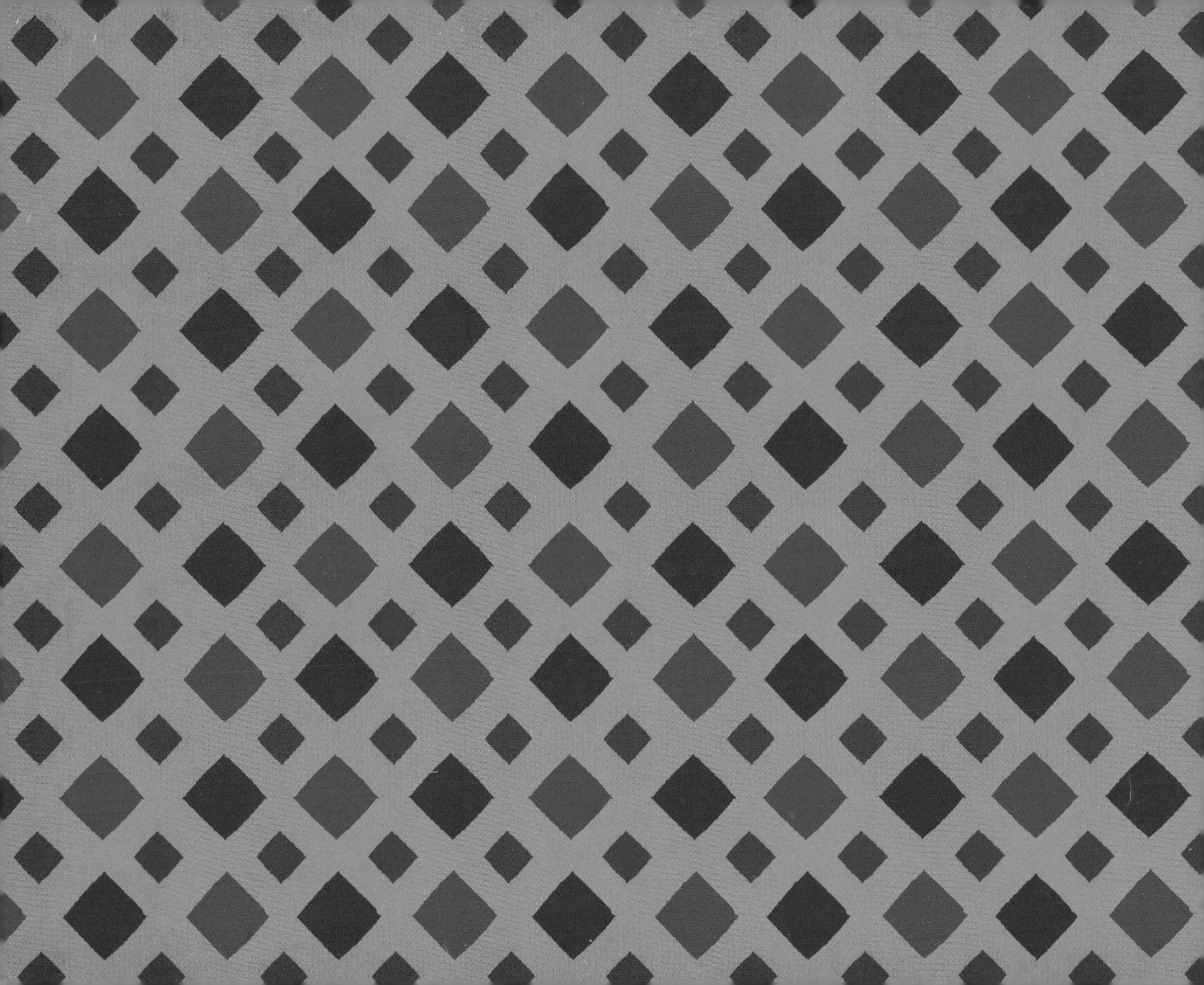